DE VLIEGER

Voor eerste lezers.
Lezen na 15 maanden leesonderwijs.
AVI 4 - AVI-M4

Voor Florian en Sophie en al hun vlinders
Inge

voor mijn ouders
Yoeri

Druk: Oranje, Sint-Baafs-Vijve

D/2009/6048/20
NUR 282
ISBN 978-90-5838-550-5

www.eenhoorn.be

Inge Misschaert

De vlieger

Met prenten van Yoeri Slegers

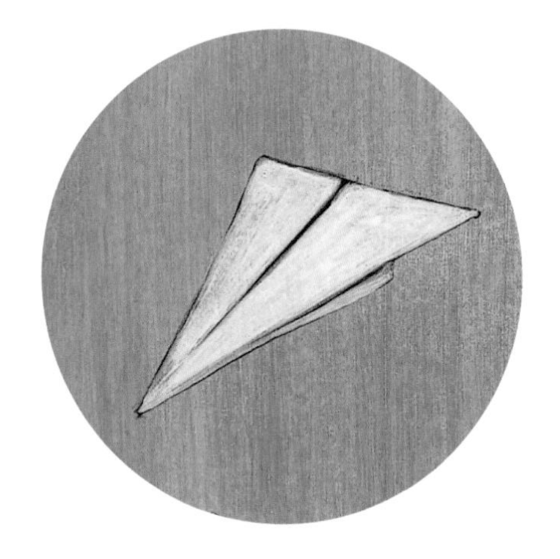

DE EENHOORN

Tessa loopt snel door de straat.
Ze wil naar huis.
De school is al lang uit.
Veel te lang.
Mama is vast boos.
Maar Lien vertelde iets vreemds.
Het ging over Bram.
En over Anna.
Zo gek!

‘Ze zijn verliefd,’ giechelde Lien.
Hoe weet je dat, dacht Tessa.
Maar dat durfde ze niet te vragen.
Dan lachten ze haar misschien uit.
Tessa loopt zo snel ze kan.
Misschien ben ik ook wel verliefd, denkt ze.
Alleen weet ik het nog niet.

Mama is niet boos.
'Maar wel een beetje ongerust,' zegt ze streng.
'Eet nu maar snel.'
Tess hapt in haar boterham.
Mama roert in haar thee en leest een boek.
'Wat is verliefd, mama?' flapt Tessa eruit.
Ze wordt een beetje rood.
Mama kijkt op.
Ze lacht en aait Tessa over haar hoofd.
'Verliefd?'
Mama straalt opeens.
Tessa zet grote ogen op.
Mama lijkt niet meer op mama.
Ze is anders.

‘Verliefd zijn is mooi,’ zucht mama.
‘Vlinders in je buik.
Kriebels overal.
Je eet niet meer.
Je denkt altijd maar aan hem.
Je kijkt in zijn ogen en je verdrinkt.’
Mama zucht nog een keer.

Tessa kijkt naar haar boterham.
Haar buik wordt zwaar.
‘Hahaha,’ lacht de boterham.
‘Eet mij maar snel op.
Anders ben je verliefd.’
Gauw propt Tessa de boterham in haar mond.

Dat is lastig.
Ze kauwt en slikt.
Weg!
Maar nu doet haar buik toch pijn.
Snel schuift ze haar bord weg.
‘Heb je al genoeg?’ vraagt mama verbaasd.
‘Anders eet je er altijd twee.’
Maar Tessa hoort het al niet meer.

Op haar kamer pakt ze een blad.
Ik mag niet verliefd worden, denkt ze.
Arme Bram! En Anna!
Ze pakt haar pen en schrijft.

- veel eten
- geen vlinders vangen
- niet denken
- niet in iemands ogen kijken
- niet in de buurt van de vijver komen

Ze scheurt het blad uit het schrift
en stopt het in haar tas.
Voor morgen.

- VEEL ETEN.
- GEEN VLINDERS VANGEN.
- NIET DENKEN.
- NIET IN IEMANDS OGEN KIJKEN.
- NIET IN DE BUURT VAN DE VIJVER KOMEN.

Als ik naar de grond kijk, zie ik geen ogen, denkt Tessa.
Ze loopt stoer verder.
De grond is best leuk.
'Wat scheelt er?' vraagt Anna in de rij.
Tessa kijkt haar even aan.
Arme Anna, denkt ze.
'Je hebt toch geen jeuk?' vraagt ze.
Verwonderd schudt Anna haar hoofd.
Wat doet Tessa gek!

'We maken vandaag sommen,' zegt juf.
Ze tikt met haar stok op het bord.
Bram krabt in zijn haar.
Zie je wel, denkt Tessa.
Haar knie jeukt een beetje.
Dat komt vast door mijn rok, denkt ze.

Iemand klopt op de deur.
'Binnen!' zegt juf.
Om het hoekje gluren twee donkere ogen.
'Ben, daar ben je!' zegt juf blij.
'Kinderen, dit is Ben!'
'Hij is nieuw op school.'
Iedereen staart naar Ben.
Hij knipoogt en krabt aan zijn arm.
Hij ook al, denkt Tessa verschrikt.
Het is erger dan ik dacht!

'Ga jij maar naast Tessa zitten,' zegt juf.
Ben schuift in de bank.
Hij kijkt opzij en lacht.
Mooie ogen, denkt Tessa en haar buik wordt zwaar.
Vlug kijkt ze weer naar haar sommen.
Sommen zijn veilig.
Die worden nooit verliefd.
Die willen alleen maar dat je ze oplost.
Nu jeukt haar hand.
Ze krabt niet.

Ben stoot haar aan.
'Kijk!' wijst hij.
Tessa volgt zijn vinger.
Op het raam zit een rode vlinder.
Vlug kijkt ze weg.
Geen vlinders!
'Vind je dat niet leuk?' lacht Ben.
Tessa kijkt naar Bram.
Hij kietelt Anna.
Anna giechelt.

'Kinderen,' kondigt juf aan.
'Straks gaan we naar de vijver in het park.'
'Neem allemaal een netje mee.'
Tessa voelt haar buik trillen.
Haar maag doet raar.
Alsof ze te veel prik dronk.
Nu jeukt haar voet.
Ze wiebelt met haar tenen.
Weg jeuk!

De vijver is groot en diep.
‘Pas op dat je er niet in valt,’ maant de juf.
Dan verdrink je en word je verliefd, weet Tessa.
Ze gaat ver bij de vijver vandaan.

Het gras is nat.
Bram vouwt een vlieger van papier.
De wind doet hem vliegen.

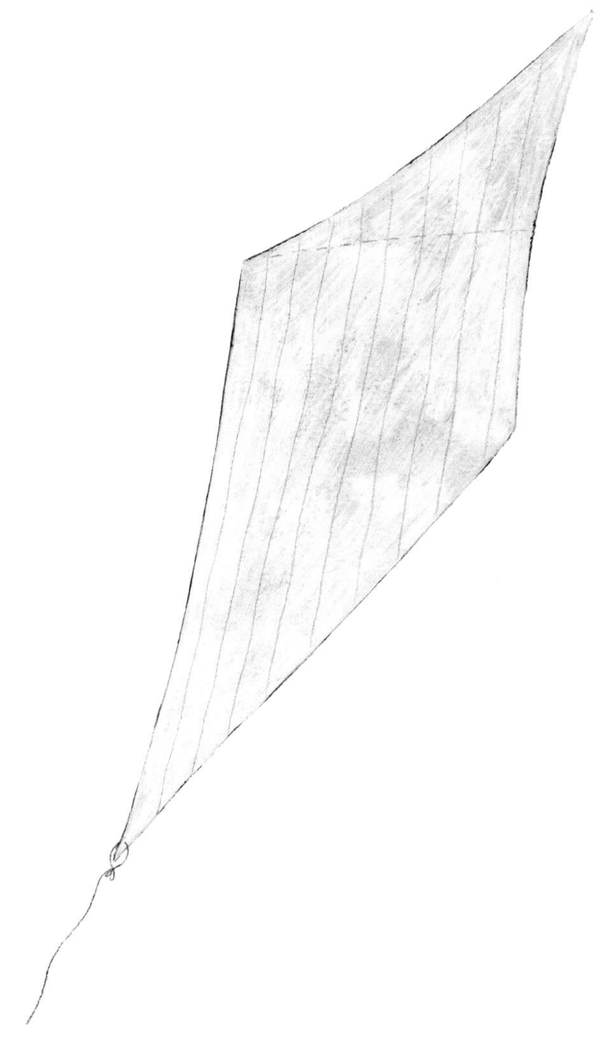

De vlieger maakt een buiteling
en landt in de vijver.

Bram lacht.
'Ik maak wel een nieuwe!'

Tessa kijkt strak naar het gras.
Er is toch niets mis met gras?

Ze vist het stuk papier uit haar zak.
Nee, hier staat niets op over gras.
Plots landt een vlieger boven op haar been.
Verschrikt kijkt Tessa om zich heen.
Bram giechelt.
Lien kijkt de andere kant op.

De vlieger trilt door de wind.
Straks waait hij weer weg.

Tessa pakt hem vlug.
Ze vouwt de vlieger open.
Het is een brief!
Haastig leest ze wat er staat.

Dag Tessa,

Ik vind je heel leuk.

Ik wil graag je vriend zijn.

Kom je morgen bij mij spelen?

Mijn mama bakt koekjes.

En ik heb een grote doos met vliegers.

Echte vliegers met een lang touw.

Die heeft mijn papa gemaakt.

Kom je?

Groeten,

Ben

Tessa krijgt het warm en dan weer koud.
Ze krabt aan haar been, maar jeukte het wel?
Nergens ziet ze vlinders.
Ze kijkt in Bens donkere ogen.
Er gebeurt niets.
Tessa knippert met haar ogen en lacht.
'Natuurlijk kom ik spelen, Ben!'
Ze grijpt haar netje en rent naar de vijver.